El Poder Curativo de la Naranja

El Poder Curativo de la Naranja

May Ana

Grupo Editorial Tomo, S. A. de C. V.
Nicolás San Juan 1043
03100 México, D. F.

1a. edición, abril 1999.

Nicolás San Juan 1043, Col. Del Valle
03100 México, D. F.
ISBN: 970-666-159-X
Miembro de la Cámara Nacional
de la Industria Editorial No. 2961

Diseño de la portada: Emigdio Guevara
Diseño tipográfico: Rafael Rutiaga
Supervisor de producción: Leonardo Figueroa

Impreso en México - Printed in Mexico

Introducción

Las páginas del libro que ahora tienes en tus manos, buscan ayudarte para que tengas una vida más sana, más alegre y más feliz. Aquí, podrás encontrar muchas respuestas y soluciones a problemas cotidianos de salud, de alimentación y de belleza.

La naranja, a lo largo de la historia, ha sido una fruta muy común en nuestra dieta diaria. La mayoría, generalmente la consumimos en las mañanas como jugo. Otros la comemos como "botana" mientras observamos alguna película en la televisión o mientras llegamos a la comida. Y muy pocos, la incluimos en nuestra dieta diaria como un pilar (que en verdad lo es) de la misma.

La intención de este libro, es que conozcas todas las maravillas contenidas en este delicioso fruto. Además, también aprenderás a combinarla con otros nutritivos y sabrosos alimentos que, a la larga, harán que tu salud mejore, que tu físico tenga una complexión más fuerte y que, sobre todo, vayas por la vida con salud y alegría.

Asimismo, en estas páginas encontrarás todo lo que a la naranja se refiere; podrás aclarar mitos y realidades sobre ella, y te convertirás en una persona experta en la naranja. No intentamos que con esto sustituyas tus visitas al doctor, pero hemos tratado de que "El Poder Curativo de la Naranja" se convierta en una herramienta útil a la hora de enfrentar enfermedades, padecimientos y hasta accidentes.

Esperamos que disfrutes la lectura de este pequeño gran amigo que, seguramente, ocupará un lugar muy especial en tu casa por el resto de tu vida.

May Ana

Historia de la naranja

No obstante que en todo el Continente Americano se cultivan cítricos (limones, naranjas y toronjas), ninguno de ellos es nativo del Nuevo Mundo. La naranja, por ejemplo, se conoce en la India desde hace aproximadamente 2,000 años. Por ello, muchos afirman que el origen de la misma fue en la India o al sur de China.

Durante el primer milenio de la Era Cristiana, la naranja era prácticamente desconocida por los europeos; pero en el siglo IX, algunas caravanas árabes llevaron el fruto a Constantinopla. De allí, la dulce y deliciosa naranja llegó a Sicilia y a España. En poco tiempo, los naranjales ocuparon gran parte de los terrenos aledaños al Mediterráneo.

En esa época existían, principalmente, dos tipos de naranja: la amarga (que en la actualidad es utilizada para preparar mermeladas) y la dulce. Por cerca de trescientos años, en Europa sólo se consumió la naranja amarga. La proliferación de este fruto en España, sobre todo en la ciudad de Sevilla, hizo que en unos cuantos años, a la naranja amarga se le conociera como "naranja sevillana".

A finales del siglo XV, los marinos portugueses llevaron las primeras naranjas dulces de la India y de China al Viejo Continente, y a partir de ese momento, el cultivo de este fruto en España se convirtió en una importante fuente de ingresos.

Poco tiempo pasó para que los españoles y portugueses llevaran la naranja al Nuevo Mundo, y en pocos años, el fruto conquistó por completo el Continente Americano. Se afirma que fue Ponce de León el que trajo la naranja a América cuando desembarcó en La Florida en 1512. Esto se puede confirmar mediante el hallazgo de frutas cítricas silvestres en todo el continente por parte de los colonos en 1595.

En 1600, de una manera totalmente accidental y espontánea, un naranjo de Bahía produjo fruta sin semilla. Era espléndida, jugosa, dulce y de un sabor exquisito. En lugar de semillas, tenía en un extremo, debajo de la piel, una curiosa excrecencia: era un capricho de la naturaleza, algo raro y desconocido, digámoslo así. Este "monstruo" era la naranja sin semillas o "de ombligo", y algunas de sus plantas fueron llevadas a Estados Unidos en 1870.

La naranja de Bahía convirtió la industria Norteamericana de la fruta cítrica en un gran negocio. Ninguna variación botánica espontánea fue tan importante como la "naranja de ombligo", oculta en esa ciudad brasileña durante más de 200 años. Desde luego, siempre se ha propagado mediante estacas o injertos, ya que nunca tiene semillas.

Descripción y Composición de la Naranja

La naranja es una deliciosa fruta cuyo nombre proviene del árabe *naranya* y del persa *narang*, y su descripción científica es *citrus aurantium*.

La naranja es un fruto del naranjo, árbol originario de las Indias Orientales. Este árbol puede medir entre dos y cinco metros de altura. Sus aromáticas hojas son verdes y sus flores blancas.

La naranja, fruto principal de este árbol, es un hesperidio de la familia de las rutáceas. Es pariente de los cítricos y, obviamente, prima hermana del limón.

Su fruto es carnoso, en forma de globo y un poco "chato" por ambos lados. La cáscara, cuyo grueso varía de un tipo de naranja a otro, es muy utilizada para hacer infusiones y remedios medicinales.

Por lo general, los estudiosos dividen a la naranja en tres partes:

La Corteza: Esto es lo que comúnmente se denomina "cáscara". El tamaño de la misma varía de acuerdo a la forma en que se cultiva.

Dependiendo de la clase de naranja (puede haber muchas variedades, incluso unas completamente desconocidas), esta "cáscara" puede tener muchas vesículas glandulosas que contienen el aceite esencial volátil. Con este aceite, la industria de la perfumería procesa una gran variedad de esencias y perfumes que hacen las delicias de hombres y, sobre todo, de mujeres. Cuando se trata de naranjas dulces, estas vesículas sobresalen de la superficie, mientras que en las naranjas amargas, se llegan a formar pequeños huecos.

El color de la cáscara de la naranja puede ser verde, amarillo, rojo y, obviamente, naranja. La corteza está protegida por una cutícula y cera, otro motivo por el cual este fruto es bastante apreciado por algunas industrias.

La Parte Interior: Esta parte de la naranja está constituida por un tejido esponjoso y blanquecino. Seguramente la has visto, pues después de comerte una naranja, la parte interior deja ver ese característico color blanco. Este tejido es lo que contiene una gran cantidad de Vitamina C, pectina y azúcar celulosa, nutrientes básicos para la dieta diaria de cualquier ser humano.

La Pulpa: Esta es la parte de la naranja que todos hemos disfrutado alguna vez en nuestra vida. Su color suele ser rojizo y en forma de "gajos". El jugo de la pulpa varía dependiendo del tipo de naranja y el estado en que se encuentre. Por lo general, una naranja no tiene menos de siete gajos o más de doce. La composición de los mismos es de agua, ácidos y azúcares, entre otras sustancias.

Por lo general, un 90 % de las naranjas que se comercializan y que se encuentran en el planeta son comestibles. Un muy bajo porcentaje es exclusivo para fines ornamentales o decorativos. A continuación, te presentamos algunas de las variedades más comunes dentro de las naranjas comestibles que se pueden encontrar en los mercados o en hortalizas aledañas a las grandes ciudades.

La naranja "dulce" se caracteriza por su sabor agridulce, por su color rojizo y por ser ideal para preparar jugos. La naranja "zajirí" o "cajal" también tiene un sabor agridulce muy especial, pero con menos jugo que las "dulces". Las naranjas "sanguinas" tienen la característica de tener una pulpa de tono rojizo. Las naranjas "chinas", muy comunes en la alta cocina, tienen una piel amarilla, su cáscara es muy delgada y lisa, a diferencia de sus demás "hermanas". También, podemos encontrar frecuentemente cerca de nuestro hogar la naranja "Bahía", de la cual ya se habló anteriormente y que, a diferencia de todas las demás, no tiene semilla alguna. Este tipo de naranja es de las favoritas de los niños por ello, y por su dulce jugo.

Otra clase de naranja muy común, es la "mandarina" o "tangerina". Este fruto es, en ocasiones, mucho más pequeño que la naranja que comúnmente conocemos. Su sabor es agridulce y menos penetrante que el de la naranja. La mandarina es mucho más "chata" que la naranja y, a la hora de comerla, es mucho más sencillo arrancarla de su cáscara con las manos.

Muchos de estos nombres de la naranja, quizá jamás los hayas escuchado y, por consiguiente, te sea difícil conseguirlas, pero para que puedas probarlas, te recomendamos que cada vez que salgas de tu lugar de origen y vayas a poblaciones o países lejanos, no pierdas la oportunidad de probar todas y cada una de las diferentes variedades de naranjas que se te puedan presentar, estamos seguros de que no te arrepentirás.

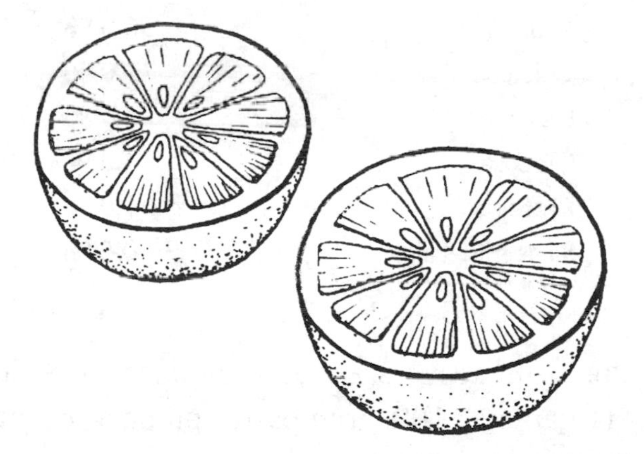

Composición de la Naranja

Los investigadores han logrado, de manera científica, separar cada uno de los ingredientes que hay en la naranja. Los siguientes cuadros podrán mostrarte claramente cada uno de los componentes de este fruto.

En cada 100 gramos de pulpa encontrarás lo siguiente:

Compuesto	Porcentaje
Ácido Orgánico	2.5 %
Agua	90.0 %
Celulosa	1.0 %
Dextrosa	4.6 %
Glucosa	4.0 %
Proteínas	1.0 %
Sales Minerales	0.5 %

Por lo que se refiere a las Vitaminas contenidas en la naranja, 100 gramos de pulpa y de jugo contienen lo siguiente:

Vitamina	Pulpa	Jugo
Vitamina A	1.0 mg	0.16 mg
Vitamina B	0.9 mg	0.15 mg
Vitamina C	60.0 mg	57.0 mg
Vitamina P	1.0 mg	0.1 mg

Es muy importante conocer qué es lo que cada una de estas Sales Minerales y Vitaminas aporta a tu cuerpo; de esta manera, podrás darte cuenta de los beneficios que haces a tu organismo cuando comes naranjas o tomas su jugo.

Sales Minerales

Dentro de la naranja podemos encontrar varios tipos de sales minerales como: potasio, fósforo, calcio, sodio, hierro y magnesio. A continuación, te presentamos cada una de estas sales minerales y su benéfica acción en el organismo humano.

Potasio

Las sales contenidas en el potasio son sumamente importantes para nuestro organismo. El potasio está contenido —y en buenas cantidades— dentro de la naranja, y le da un enorme poder diurético a esta fruta. De ahí, se desprende la importancia de incluirla en nuestra dieta diaria cuando presentemos problemas en las vías urinarias.

Por otra parte, el potasio logra "limpiar" la sangre que corre por nuestro organismo. Su función más importante, es la de purificar los glóbulos rojos y fortificarlos. Y por si esto no fuera suficiente, el potasio también logra actuar efectivamente en contra de la grasa que se puede llegar a acumular cerca del corazón y otros órganos importantes.

Calcio

Como todos sabemos perfectamente, el calcio es de suma importancia para nuestros huesos y para nuestros dientes. La naranja, al igual que otros frutos, es una importante fuente de este elemento, pero a diferencia de muchos otros, permite una rápida y completa absorción del mismo. Por ello, no es raro que cuando una persona presente raquitismo, tuberculosis, mal de Pott o problemas con los huesos, acostumbren recetarle una dieta con base en la naranja, además de otros alimentos.

Y si esto logra en una persona adulta, podemos deducir que en la infancia, la naranja juega un papel vital. Es más, muchos ginecólogos, sabiendo del poder de la naranja y de los beneficios que ella da al ser humano, recomiendan a las mujeres embarazadas incluir naranjas y limones dentro de su dieta diaria, pues esto, además de ayudarles a producir la leche del bebé, permitirá que el futuro ser absorba todo lo necesario para poder desarrollarse dentro y fuera del vientre de su madre.

Sodio

Otro importante mineral que se encuentra generosamente dentro de la naranja es el sodio. El papel de éste es, principalmente, luchar en contra del ácido úrico, para disolverlo de una manera efectiva y rápida. Con ello, estará ayudando a la destrucción de los temibles cálculos provocados por un exceso de ácido úrico.

Además, las personas que tienen problemas digestivos, pueden estar completamente seguras de que la naranja, gracias a sus vitaminas y minerales —sobre todo el sodio— les ayudará a resolverlos de la manera más natural y más efectiva. Y por lo que se refiere a los riñones y la vejiga, también se ven beneficiados por las propiedades diuréticas que el sodio da a la naranja.

Hierro

Uno de los principales problemas que hace surgir a la anemia, es la falta de hierro en el organismo humano. Las defensas sanguíneas se ven seriamente afectadas cuando el hierro falta en nuestro cuerpo. Por ello, la naranja, alta en hierro, puede ser una deliciosa solución a este problema.

Investigaciones sobre el nivel de hierro contenido en la naranja, nos indican que un 15% de las sales son de hierro, así que para evitar problemas de anemia, hemofilia o debilitamiento, nada mejor que un buen vaso de jugo de naranja por las mañanas antes de iniciar nuestras labores cotidianas.

Magnesio

El magnesio contenido en la naranja, juega un papel importante en la materia gris del sistema nervioso de todo ser humano. Además, sirve para poner en marcha los movimientos peristálticos.

Asimismo, cuando alguna persona presente malestares en las vías intestinales o estreñimiento, puede solucionar este problema con la naranja y sus sales minerales (más adelante profundizaremos sobre enfermedades que pueden solucionarse con la naranja).

Fósforo

Mucho se habla del fósforo, pero casi nadie sabe que en estado puro, es venenoso. No obstante, la sabia naturaleza lo ha colocado dentro de frutas (como la naranja) en forma de fosfatos, ayudándonos a mantener una buena salud.

Se recomienda la naranja a personas adultas para que sus fosfatos ayuden a mantenerlos sanos, pero los principales beneficiarios de estos fosfatos son los niños, ya que su proceso de desarrollo y el fortalecimiento de su sistema nervioso, dependen enormemente de ellos. No obstante, cuando una persona es muy nerviosa o vive bajo una enorme presión constantemente, se le recomienda incluir la naranja en su dieta diaria.

Vitaminas

Ahora, tocaremos la importancia de las Vitaminas dentro de la naranja.

Vitamina A

Es indispensable en el proceso de crecimiento y desarrollo del cuerpo y en la renovación de tejidos dañados o enfermedades. Se almacena principalmente en el hígado, y es bastante útil para el mejor funcionamiento de los aparatos: digestivo, respiratorio y de reproducción.

Cuando falta esta vitamina, se originan problemas en los ojos y en la piel. Si se ve afectada la piel, ésta se marchita y se arruga prematuramente. Y si el padecimiento afecta a los ojos, se puede llegar a la pérdida total de la vista.

Además, la Vitamina A es necesaria para que el ser humano absorba, de manera correcta, todos los beneficios de la Vitamina C.

Vitamina B1

Conocida como tiamina, esta Vitamina es importante para el correcto funcionamiento de todos los órganos, sobre todo, aquellos que tienen algo que ver con el sistema nervioso.

Cuando el cuerpo no tiene la suficiente Vitamina B1 o tiamina, puede correrse el riesgo de contraer la terrible enfermedad de beriberi, un mal conocido desde hace miles de años y que se caracteriza por la aparición de edemas, pérdida de peso acelerada y peligro de parálisis.

Muchas veces, podemos notar cuando una persona está falta de Vitamina B1, pues constantemente padecerá jaquecas, estará decaído y sin ganas de hacer nada, no podrá dormir por las noches, sufrirá de estreñimiento y estará siempre de mal humor.

Por otra parte, cuando tratamos con personas enfermas de alcoholismo, podemos ver que el "delirium tremens" que constantemente los acompaña, no es otra cosa que la falta de tiamina en su organismo.

Algo que deberías saber y tener siempre muy presente, es que el calor o las altas temperaturas, pueden afectar seriamente esta Vitamina, por lo que te recomendamos que consumas siempre frescas las frutas (naranja) que contengan esta vitamina. Obviamente, debes lavarlas y desinfectarlas para no padecer infecciones estomacales o problemas posteriores.

Vitamina B2

La vitamina B2 es también conocida como riboflavina, y se recomienda a los niños o a los adolescentes que se encuentran en la etapa de crecimiento. No obstante, las personas adultas también deben consumir esta Vitamina, pues gracias a ella podemos ser capaces de tolerar la luz del día. Si una persona es incapaz de tolerar la luz o se deslumbra fácilmente con cualquier destello, por mínimo que este sea, es porque está bajo en Vitamina B2.

Por lo general, cuando una persona empieza a padecer la falta de la riboflavina, padecerá de irritación, secreción y comezón en los ojos. Si deja que esto avance, las consecuencias pueden ser desastrosas, pues en muchos casos, se puede llegar a perder la vista.

Vitamina PP

Esta Vitamina jucga un papel sumamente importantc para combatir la pelagra. Esta molesta enfermedad de la piel suele presentarse cuando el cuerpo tiene carencia o deficiencia en el consumo de la Vitamina PP.

El Dr. Glaudberger comprobó, a mediados de 1927, que la pelagra es el resultado de una carencia vitamínica y que, para poder enfrentarla de una manera eficaz, se debe aumentar el consumo de frutas frescas, entre las que destaca de manera importante la naranja.

Los síntomas de esta terrible enfermedad son alteraciones en la digestión, depresión mental, mareos y problemas con la piel.

Vitamina C

El ácido ascórbico o Vitamina C, es de las más conocidas. Por lo general actúa como antibiótico natural contra enfermedades o padecimientos como resfriados. La ingestión de la Vitamina C pone en marcha una serie de mecanismos que trabajan como una "barrera protectora" que no deja pasar los virus a nuestro organismo.

El escorbuto es la enfermedad que más se ha relacionado a lo largo de los años con la falta de esta Vitamina en el organismo humano. Miles de vidas se perdieron inútilmente en el pasado debido a la falta de la Vitamina C.

En lo que respecta a los niños, es muy importante que en su dieta diaria consuman Vitamina C, pues con ello, tendrán las suficientes defensas para hacer frente a la malformación de dientes, a problemas en el hígado, a debilitamiento, trastornos respiratorios, etc.

Como mencionamos anteriormente, esta Vitamina es un antibiótico natural que, curiosamente, los seres humanos somos incapaces de sintetizar.

Por ello, todos nos vemos en la necesidad de buscarla en alimentos.

Ahora bien, debido a la importancia de la Vitamina C en nuestro organismo, debemos poner especial atención a unos grupos de hombres y mujeres que, debido a ciertos defectos, vicios o situaciones, ven afectado seriamente su nivel de esta Vitamina.

Estos casos, para prestarles más atención, los trataremos en un capítulo aparte.

Importancia de la Vitamina C

A continuación, te presentaremos una serie de situaciones en las que quizá tú, o alguien cercano a ti, puede estar involucrado. Pon mucha atención a ello y actúa debidamente antes de que sea demasiado tarde.

Fanáticos de la Aspirina

Mucho se ha hablado acerca de los beneficios y los problemas que trae la aspirina al hombre. Por un lado, muchos hemos escuchado que el ingerir una aspirina diariamente por las mañanas, disminuye notablemente el peligro de sufrir un problema cardiaco.

También, en muchos hogares alrededor del mundo, es muy común tomar una aspirina para controlar desde un resfriado hasta una terrible jaqueca. No obstante, el abuso de la aspirina nos puede llevar a circunstancias sumamente peligrosas.

Por principio de cuentas, la aspirina interfiere con la asimilación de la Vitamina C en el organismo, provocando que las personas —niños y adultos— la expulsen por medio de la orina. Y cuando esto sucede, y baja notablemente la Vitamina C en el sistema, pueden ocurrir hemorragias gástricas.

Ahora bien, la aspirina, efectivamente, ayuda al ser humano en muchos aspectos, y no es nuestra intención prohibir su uso, pero sí podemos recomendar que, cuando una persona eche mano de las aspirinas, tome de 200 a 300 mg de Vitamina C por cada aspirina que ingiera. Recuerda que en cada 100 g de naranja, encontraremos 50 mg de Vitamina C.

Si hacemos esto, estaremos aprovechando los beneficios de ambas, logrando un alivio más rápido en cualquier malestar que se presente, efectos más duraderos, retención de la vitamina, disminución en los problemas gástricos, mínimos síntomas de sedación, pocas probabilidades de hemorragias, etc.

Ten presente esto, y aprovecha las bondades de la Vitamina C y la aspirina.

Los Fumadores

Millones de personas alrededor del mundo, ya sea por costumbre, imitación, vicio o dependencia, fuman tabaco. Un alto porcentaje de las personas que conocemos —familiares o amigos—, fuman cigarros o pipa. Esta afición por el tabaco puede traernos serias consecuencias en nuestra salud. Pero como en este libro no tenemos la intención de profundizar sobre ello, simplemente analizaremos, de manera superficial, el dañino efecto que este producto provoca con respecto a la Vitamina C.

A través de los años, las investigaciones sobre los efectos del tabaco en la Vitamina C, han demostrado que las reservas corporales de esta Vitamina, se ven seriamente disminuidas por el consumo de esta planta. Por ejemplo, una persona que consume de 10 a 20 cigarros diariamente, baja su nivel de Vitamina C en un 40%.

Ahora bien, muchas veces, podemos encontrar personas que no fuman, pero que conviven con personas fumadoras; estos fumadores "pasivos", también tienen un alto riesgo en su baja de Vitamina C. Los resultados arrojados por varias investigaciones indican que, un 80% de personas que cohabitan con personas fumadoras, tienen un alto riesgo de sufrir las mismas consecuencias que el fumador, es decir, cáncer en algún órgano de las vías respiratorias, y baja en la Vitamina C de su sangre.

El hábito de fumar (mejor dicho vicio), es algo sumamente difícil de erradicar en nuestras vidas. Muchos productos han salido al mercado para tratar de ayudar a las personas para que dejen este problema. Sin embargo, poco, o casi nada, se ha logrado.

Si tú, o alguien muy cercano a ti fuma, lo que debes hacer es tratar de elevar el consumo de Vitamina C. Si por lo general tomas un vaso mediano de jugo de naranja por las mañanas, te recomendamos que lo hagas también por las tardes y en la noche; asimismo, puedes comer un par de naranjas durante la mañana entre comidas. No obstante, lo mejor que podrías hacer es alejarte del tabaco, pues aunque la Vitamina C te puede ayudar a mantenerte sano, los efectos nocivos del tabaco son devastadores.

Los Bebedores

Al igual que el tabaquismo, el ingerir bebidas alcohólicas es algo muy común en nuestra sociedad. En fiestas, comidas de negocios, reuniones con familiares y, en general, dentro de cualquier evento, nunca faltará alguna bebida alcohólica que, lejos de alegrarnos el momento, nos estará causando enormes daños si no la tomamos con moderación.

El alcohol, una vez que entra en nuestro organismo, es absorbido por el estómago y el intestino delgado. Cuando llega a nuestra sangre, pasa al hígado, lugar en el cual, de manera sumamente lenta, se transforma en agua y en dióxido de carbono.

La desintoxicación de la sangre es un proceso lento, pues solamente el 5% del alcohol que ingerimos, se elimina a través de la orina o por el sudor; lo demás, depende del estado de nuestro hígado.

Muchas personas creen firmemente que una copa de algún licor antes de la comida, o después de ésta puede causarle un bien a su organismo. Quizá estén en lo correcto, pero cuando esa copa se convierte en una botella, y se va en aumento cada fin de semana (sobre todos los jóvenes que andan de fiesta en fiesta), debe de tomarse muy en cuenta que el hígado llegará a dañarse seriamente, provocando que el alcohol no salga de nuestro organismo y destruya poco a poco nuestra salud.

El alcoholismo provoca, al igual que el tabaquismo, una gran baja en los niveles de Vitamina C, y esto puede desatar una serie de problemas muy serios como: Afecciones cardiacas, arteriosclerosis, trombosis, cirrosis hepática, etc.

Y al igual que con el tabaco, nuestro mejor consejo es que abandones total, o por lo menos, parcialmente el hábito del alcohol. Te aseguramos que una vez que dejes estos dos vicios, tu vida será mejor; te cansarás menos; la pereza se irá; tendrás más energías para hacer tu trabajo; tu corazón e hígado comenzarán a trabajar adecuadamente; lograrás tener una vejez más saludable y sin tantos "achaques".

Personas con Cáncer

Mucho se habla y se dice con respecto a las personas que padecen cáncer, pero algo muy cierto se ha venido descubriendo día a día con respecto a la Vitamina C: si los niveles de esta Vitamina son bajos en el organismo, los riesgos de contraer esta temible enfermedad se elevan.

Esto se puede ver claramente cuando una persona padece cáncer. Sus niveles de Vitamina C son sumamente bajos y el requerimiento diario de ácido ascórbico (Vitamina C) es muy alto.

Investigaciones acerca del tema, han demostrado que existe una relación entre algunos tipos de cáncer, como el de las vías urinarias y las digestivas, y las nitrosaminas (sustancias formadas por ciertos elementos químicos y nitratos en agua y alimentos). El nitrito, sustancia mucho más peligrosa, suele formarse de los nitratos contenidos en los preservativos que se ponen a los alimentos industrializados, los cuales, después de un proceso de interacción con las aminas, pueden producir agentes cancerígenos (como las nitrosaminas).

Ahora bien, muchos especialistas están seguros de que un alto nivel de Vitamina C en el organismo, no permite que se formen las nitrosaminas. Además, al entrar en contacto la Vitamina C con la nitrosamina, la desintoxica, y permite el régimen normal del crecimiento de las células.

La Vitamina C, tiene una función de autoprotección en nuestro organismo. Miles de hombres, caen año con año en las garras del cáncer de vejiga, pero se ha demostrado que, los hombres que pasan de los 55 años y no presentan ningún problema en su vejiga, tienen un nivel alto en su consumo diario de Vitamina C, cosa que no demuestran las personas afectadas por este mal.

La cura para el cáncer está aún por verse, pero si tratamos de prevenirlo, sería muy fácil tomar en cuenta las siguientes consideraciones:

1. Dejar de fumar.

2. Evitar, a toda costa, estar cerca de personas que fuman.

3. Tomar suficiente Vitamina C diariamente.

4. Tomar el sol con la debida protección.

5. Alimentarnos balanceadamente y con productos naturales.

6. Tratar de evitar productos enlatados.

7. Hacernos exámenes médicos una o dos veces al año.

8. Observar detenidamente cualquier malformación en nuestro cuerpo.

9. Revisar mientras nos bañamos partes comunes donde aparecen tumores cancerosos (por ejemplo, los senos en las mujeres).

Mitos y Realidades del Colesterol

Mucha gente, al escuchar hablar del colesterol, inmediatamente vienen a su cabeza problemas con el sobrepeso y con el corazón. No obstante, sería conveniente que entendieras que el colesterol es una sustancia sumamente importante en nuestro organismo, pues él, sirve en la fabricación de hormonas sexuales y del tejido cerebral.

No obstante, y como todo en la vida, el exceso del colesterol puede traernos serios problemas en nuestra salud. El colesterol es una sustancia similar a la grasa y se produce en el hígado, en promedio, a un ritmo de 30 g al mes; de ahí, empieza su viaje hacia los órganos que requieren de él. El trayecto que cubre el colesterol lo hace a través de la sangre, así que cuando hay exceso de él, se va acumulando en las paredes de las venas, bloqueando el paso libre de la sangre y provocando diversos malestares.

Ahora bien, las personas que tienen una dieta baja en Vitamina C, presentan un aumento considerable en el colesterol dentro de su corriente sanguínea y, con el tiempo, suelen tener problemas con cálculos biliares. Tengamos en cuenta que el principal componente de las piedras es el colesterol.

Así pues, debes tener tu Vitamina C en un nivel adecuado, de lo contrario, podrías presentar problemas con el colesterol. Obviamente, también debes cuidar tu dieta diaria y no incluir demasiadas grasas animales, azúcares, o alimentos altos en colesterol.

Personas con Estrés

La modernidad nos ha dado muchas ventajas y comodidades a los seres humanos; no obstante, el precio que debemos pagar para estar en un "mundo moderno", muchas veces suele ser muy caro. Las presiones en el trabajo, las cuentas por pagar en la casa, los hijos, la familia, el tráfico, etc., suelen provocar un malestar muy común entre los seres de este planeta: el estrés.

Cuando el nerviosismo, la angustia, la tensión y la ansiedad nos atacan, bajan considerablemente nuestras hormonas corticoesteroides de las glándulas suprarrenales, las cuales, son las encargadas de determinar el nivel de resistencia de nuestro organismo ante tales presiones o trastornos (estrés).

Para poder impedir que esto suceda, es necesario no sólo consumir Vitamina C en cantidades normales, sino que se debe hacer en mayores cantidades, pues de lo contrario, no se logrará nada.

La Vitamina C es fundamental para la producción de las hormonas corticoesteroides, así que cuando la consumimos en mayor cantidad, podremos estar seguros de que nuestra lucha en contra del estrés, tendrá un gran aliado.

Píldora Anticonceptiva

Si dejamos de lado las cuestiones religiosas y feministas, la píldora anticonceptiva es un elemento que millones de mujeres utilizan —consciente o inconscientemente— a diario. Los efectos secundarios que esta pastilla provoca son muy variados dependiendo del organismo de la mujer que la tome.

Por lo que se refiere a la Vitamina C, la pastilla anticonceptiva tiene un elemento que la afecta directamente: el estregénico. Los dos principales problemas cuando una mujer toma la pastilla anticonceptiva, es que le provoca un bajo nivel de Vitamina C en la sangre y un menor nivel de excreción por la vía urinaria. Investigaciones al respecto han demostrado que las mujeres que utilizan este método anticonceptivo tienen una disminución del 40% en sus niveles de Vitamina C con respecto a las mujeres que no la toman.

Ahora bien, si tú eres una mujer que toma esta pastilla, deberás de ingerir diez veces más Vitamina C al día que una mujer que no lo hace. Por ello, mientras estés tomando la pastilla anticonceptiva, deberás tener mucho cuidado con tu dieta, pues de lo contrario, podrías lamentar las consecuencias que esto te traerá.

Una vez más, nuestra intención no es "satanizar" el uso de sustancias ajenas a la naturaleza del ser humano, sino hacer que tengas las herramientas necesarias para contrarrestar cualquier problema posterior que esto te cause. Ahora bien, para evitar el uso de la pastilla anticonceptiva, puedes echar mano de diversos productos anticonceptivos que hay en el mercado en la actualidad; muchos de los cuales, además de evitar el embarazo, te pueden ayudar también en contra de enfermedades venéreas.

Para concluir con esta importante Vitamina, podemos decir que la Vitamina C ayudará al fortalecimiento de los huesos y los dientes, y a mantener en buenas condiciones la circulación de la sangre. También, es buena para que las heridas superficiales cicatricen rápidamente y para que cualquier fractura sane de mejor manera.

La Vitamina C es un excelente antioxidante y nos ayuda a la prevención del cáncer, a mantener los niveles de colesterol estables, a combatir alergias y es un tremendo auxiliador en contra de ciertas infecciones bacterianas o provenientes de algún virus.

Las personas que deben tener especial atención en suministrar Vitamina C a su cuerpo —un poco más de la recomendación diaria—, son aquellas que estén bajo la influencia de alguna droga, los adolescentes, las mujeres embarazadas y las que están lactando, las personas de la tercera edad, los atletas de alto rendimiento, los que fuman y los que toman alcohol.

Hojas y flores de naranjo.

¿Cómo combinar la naranja?

Para poder aprovechar al máximo las cualidades de los diversos alimentos que consume nuestro organismo diariamente, tenemos que estar conscientes de que deben estar balanceados y en perfecta correlación con los demás. En otras palabras, debemos tener siempre presente qué alimentos combinan bien, y tratar siempre de evitar que dos alimentos que "no se llevan" se presenten juntos.

Pareciera un juego, pero en verdad, si tu intención es alimentarte sanamente y llevar una vida llena de energía, debes cuidar la compatibilidad de los alimentos.

Ahora bien, en estas pocas páginas nos sería prácticamente imposible detallarte cada uno de los alimentos y sus compatibilidades, así que, por el momento, trataremos de darte un amplio panorama de la compatibilidad de la naranja, que es el tema central de este libro.

Lo primero que debes saber, y sobre todo, tener siempre muy presente, es que las frutas dulces como la naranja, deben comerse al principio de los alimentos, es decir, como "entrada".

Muchas personas, después de una comida abundante, deciden tomar una o dos naranjas y comerlas a manera de "postre". Esto, lejos de ayudar, lo único que hará será dar un placer momentáneo, pues todos los Minerales y Vitaminas contenidos en la fruta, se verán desperdiciados al no llegar al organismo.

Para que en verdad se aprovechen todos los beneficios de la naranja, debemos consumirla antes de cualquier alimento, pues de esta manera, estaremos dejando el paso libre a la fruta, logrando que llegue —sin impedimento alguno— al estómago, y de ahí, irá a "cumplir sus funciones". De otra manera, la naranja tendrá que esperar hasta que los demás alimentos sean asimilados por el organismo. Esto puede llevar algún tiempo, provocando que los beneficios de la naranja se desperdicien.

Una vez más, te recordamos que la naranja, al entrar en contacto con las altas temperaturas, pierde todos sus beneficios y propiedades. Muchas veces, las cocinas nos presentan platillos con rodajas de naranja o hechos a partir de su jugo; el sabor y la vista pueden ser muy agradables, pero en lo que se refiere a lo nutricional del platillo, deja mucho qué desear.

Siempre que vayas a combinar la naranja con cualquier otro alimento, trata de seguir las instrucciones que ahora te damos, para que logres aprovechar todos sus beneficios. Con ello, estarás evitando malestares estomacales, "empachos" y dolores provocados por una mala combinación de alimentos. Recuerda que los alimentos no "caen mal" por sí solos, sino que la combinación que de ellos hagas puede ser la culpable de tu molestia.

A continuación, te presentaremos una tabla de compatibilidades de la naranja. Pon atención a ella y disfruta de este delicioso fruto.

		Compatible	No Compatible
Almendras	Con Naranja		*
Avellanas	Con Naranja		*
Cacahuate	Con Naranja		*
Carne roja	Con Naranja		*
Castañas	Con Naranja	*	
Coco	Con Naranja		*
Dátiles	Con Naranja	*	
Fresas	Con Naranja	*	
Harinas	Con Naranja		*
Higos secos	Con Naranja	*	
Miel	Con Naranja	*	
Nata	Con Naranja	*	
Nuez	Con Naranja		*
Pan tostado	Con Naranja	*	
Pescado	Con Naranja		*
Piñones	Con Naranja		*
Plátano	Con Naranja	*	
Queso fresco	Con Naranja	*	
Uvas	Con Naranja	*	
Verduras con aceite	Con Naranja		*
Yemas de huevo	Con Naranja	*	

La naranja, además de los alimentos que se presentaron en la tabla anterior, puede combinarse con muchos otros, pero su efecto no es del todo benéfico o puede causar trastornos, así que no tiene caso incluirlos.

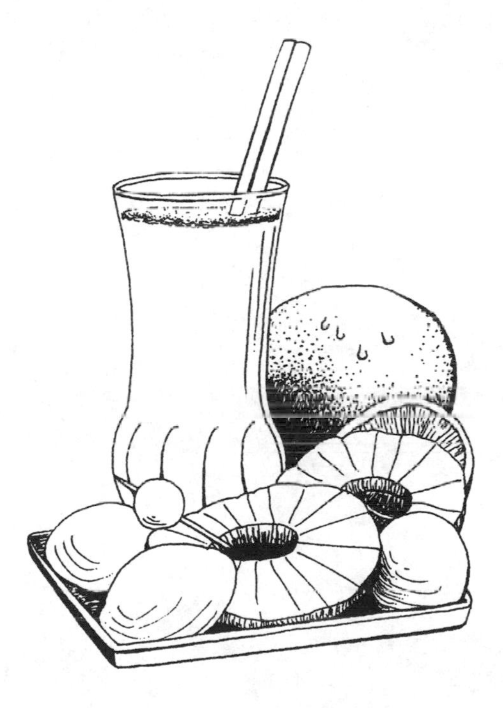

La naranja y su poder terapéutico

No se necesitan estudios especializados o demasiados conocimientos para poder deducir que, la naranja, en su estado natural, es la forma más sana en que se puede consumir.

La modernidad, como bien sabemos, ha tratado de hacernos la vida más fácil, rápida y cómoda. Sin embargo, esta misma "modernidad" ha logrado que aparezcan nuevas enfermedades, padecimientos y dolencias en todos y cada uno de nosotros.

Por ejemplo, las grandes ciudades del mundo, han visto reflejado en la salud de sus habitantes el terrible mal de la contaminación. Ciudades como Los Angeles, Japón, Nueva York o México, han padecido seriamente este problema que afecta a todos sus habitantes, y sobre todo, a los más indefensos y pequeños: los niños.

Y si a esto añadimos la tala desmedida de zonas boscosas, el crecimiento constante de grandes industrias y todo lo que hacemos en nombre de la "modernidad"; pues el resultado es lógico.

Por ello, cuando de alimentación y salud se trate, debemos estar conscientes de que deben ser alimentos limpios, frescos y en buenas condiciones. La naranja, mientras más fresca y madura se encuentre, será más aprovechable y, sobre todo, más deliciosa a la hora de comerla.

Otro punto muy importante que debemos considerar, es el hecho de que la naranja, al entrar en contacto con el calor, pierde un gran número de sus beneficios. Así que cuando cocines un platillo con naranjas, ten presente que su valor nutritivo y vitamínico disminuirá.

A diferencia de otras frutas, la naranja es buena para todas las personas y se puede tomar sin restricciones de ningún tipo. Claro, habrá personas que, al no estar acostumbradas al consumo diario de naranja —ya sea en jugo o en gajos—

se sientan un poco mal, pero el hábito de hacerlo día tras día, hará que sus estómagos se acostumbren y reciban todos y cada uno de los beneficios de esta noble fruta.

La Gripe

Esta enfermedad, sumamente común entre todos los hombres y mujeres, es una enfermedad causada por un virus. Por lo general, siempre ataca las vías respiratorias, el sistema gastrointestinal y el sistema nervioso.

Sus características son las de una epidemia y, aún hoy en día, no se ha encontrado una vacuna eficaz para detenerla. Se sabe que la gripe se forma, básicamente, por los virus A y B, aunque estos cambian constantemente cada vez que atacan a la población.

Aunque la gripe no se considera como una enfermedad mortal, sus efectos y consecuencias, si no se cuidan adecuadamente, pueden abrir las puertas a otras enfermedades y padecimientos muy peligrosos. Es por ello la importancia de cuidarse cuando la gripe nos ataca.

Año con año, muchos laboratorios invierten millones de dólares en la búsqueda de un antídoto o medicina que actúe en verdad contra la gripe; sin embargo, no hay nada que la cure 100 por ciento. Muchos productos, pueden lograr aminorar los malestares de la gripa, como ojos irritados, nariz congestionada, tos, resequedad en la garganta, etc.

Así pues, lo mejor que podemos hacer para combatir a la gripe, es protegernos para que no entre en nuestro organismo. Y para estar siempre con nuestras defensas altas y en buenas condiciones de resistir cualquier embate de esta enfermedad, la Vitamina C que se encuentra en los cítricos (naranjas, limones, toronjas, mandarinas, etc.) puede funcionar como un verdadero escudo en contra de este mal.

La Vitamina C, a diferencia de cualquier remedio —químico o "casero"—, actúa como formador de anticuerpos y neutralizador de toxinas. Si una persona está bien protegida con la Vitamina C que obtiene de la naranja u otros cítricos, la gripe llegará y se irá de manera rápida y sin tantas molestias.

En época de frío, además de cuidarnos con ropa gruesa y chamarras, debemos también de aumentar un poco la Vitamina C en nuestra dieta; y sobre todo, tratar de cuidar a los niños, pues ellos son el futuro de este mundo y, además, son nuestra responsabilidad.

Lo Natural y lo Artificial

Mucho se discute entre los beneficios de las Vitaminas y Minerales naturales y los productos artificiales. Una vez que los investigadores lograron conocer perfectamente los ingredientes de frutas y verduras, inmediatamente se pusieron a trabajar para lograr dar al organismo los beneficios de las mismas en "pastillas".

En un principio, todo fue hecho con la idea de ayudar a personas enfermas o que padecían ciertos malestares. No obstante, con el paso de los años, y gracias a la avaricia de las grandes compañías farmacéuticas, empezaron a salir al mercado varias pastillas "sustitutas" de Minerales y Vitaminas necesarias para el cuerpo humano.

En la actualidad, los tiempos nos piden soluciones rápidas a problemas comunes, y se nos ha hecho una costumbre el tomar pastillas para todo. En cualquier almacén o farmacia, podemos encontrar todo tipo de pastillas que son llamadas "complementos vitamínicos".

Y aunque, en cierta manera, en verdad ayudan a proporcionar a nuestro cuerpo Vitaminas y Minerales, las pastillas, en su proceso creativo, son impregnadas de sustancias "no naturales", lo cual, las hace un poco incoherentes, ya que tratan de darnos algo "natural" mediante una formación química o de laboratorio.

Investigaciones serias, han logrado demostrar que el consumir 100 mg de Vitamina C de forma natural (naranja o cualquier otro cítrico, por ejemplo), es mejor y más eficaz que el tomar una pastilla que contenga la misma cantidad de Vitamina C.

Además, en un planeta tan contaminado y con tantas infecciones de garganta o amígdalas, no hay nada mejor que la naranja para eliminar las molestias, ya que su acción desinfectante trabaja de manera rápida y, sobre todo, de forma "natural". Asimismo, cuando una persona presente un esófago irritado por una mala alimentación (exceso de carnes, grasas o alcohol), la naranja es una deliciosa solución.

Otra de las ventajas de tomar Vitamina C de manera natural, es para evitar problemas estomacales que, de no ser atendidos a tiempo, pueden afectar seriamente el sistema nervioso y alterar el funcionamiento del cerebro.

Los Intestinos

Muchas personas presentan constantemente problemas en los intestinos, pues los alimentos que ingieren no son debidamente asimilados por el organismo, dejando rastros o residuos en los intestinos y provocando serios malestares.

Por ello, si tú, o alguien cercano a ti, presenta estos malestares, lo mejor que puedes hacer para remediarlos, es comer varias naranjas —con pulpa y todo—. Con ello, no sólo estarás asimilando una gran cantidad de Vitamina C (que como vimos anteriormente, te ayudará a estar sano, fuerte y con tus defensas inmunológicas listas para cualquier ataque), sino que estarás limpiando tus intestinos de impurezas y de partículas tóxicas que te causan el malestar. El jugo de la naranja es muy bueno para fortalecer las paredes del intestino delgado.

Ahora bien, si aparece el estreñimiento en tu vida, también la naranja puede ser una eficaz solución, pues sus fibras naturales, ayudarán a que expulses todos los residuos que se encuentran en tu organismo de una manera sencilla y rápida.

El Colon

Otra parte de nuestro organismo que se ve sumamente beneficiada por el Poder Curativo de la Naranja, es el colon. Si una persona presenta hemorroides, ya sean internas o externas, puede echar mano de la naranja para aliviar este doloroso malestar. Las Vitaminas y Minerales contenidos en la naranja, te ayudarán a eliminar la irritación y te limpiarán el hígado.

Y si la naranja hace su parte, tú también debes ayudarle tratando de no consumir alimentos altos en grasas o embutidos, pues ellos pueden ser los causantes de las hemorroides.

El Hígado

El hígado es uno de los órganos más importantes que tenemos los seres humanos. A él, llegan siempre la mayor parte de los residuos tóxicos presentes en nuestro organismo. Si no nos preocupamos por darle herramientas para que elimine toda esta "basura", sufriremos las consecuencias y resentiremos esto en nuestra salud.

Por ejemplo, cuando el hígado se ve saturado de estas toxinas, aparecen los mareos y los dolores de cabeza que surgen de la nada cuando llevamos a cabo algún esfuerzo. La naranja, y una alimentación balanceada, pueden ser una buena solución para que nuestro hígado funcione perfectamente.

El Páncreas

Al igual que el hígado, el páncreas sufre severas alteraciones e inflamaciones debido al exceso de desechos tóxicos acumulados en él. La naranja, que se caracteriza por su poder antitóxico, es excelente para ayudar al páncreas a eliminar todos estos "venenos" que lo afectan y lo debilitan seriamente.

Ahora bien, si las molestias son mayores, te recomendamos que, además de visitar a un especialista en el ramo, trates de elevar tu consumo de naranjas y limones, pues esto te ayudará a que las molestias vayan disminuyendo poco a poco hasta desaparecer.

Los Sistemas Urogenitales

Cuando se presentan problemas con la próstata, lo mejor que cualquiera puede hacer, es llevar un tratamiento a base de cítricos (naranjas, limones, toronjas, etc.). Asimismo, si la vejiga presenta quistes, úlceras o inflamación, puede ser tratada por medio de la naranja.

Si una persona presenta trastornos en los riñones o en las glándulas suprarrenales, también puede verse beneficiada por el consumo de la naranja, ya que se ha llegado a comprobar que ayuda a eliminar las piedras.

Por lo que se refiere a las mujeres, ellas pueden hacer un gran favor a la matriz y a los ovarios mediante la naranja. Muchas de ellas, han visto como los molestos dolores menstruales o las molestias que ellos traen, pueden verse disminuidos grandemente mediante la naranja. Esto se debe a que la naranja purifica y desintoxica la sangre.

Ahora bien, para que esto tenga un verdadero efecto, te recomendamos que el consumo de la naranja lo aumentes, no durante el periodo menstrual, sino una vez que éste haya terminado.

Aplicaciones medicinales de la naranja

En esta parte del libro, encontrarás remedios basados en la naranja que pueden ayudarte a sanar de una manera rápida y natural. Obviamente, con ello no estamos tratando de que evites tus visitas al médico, pero sí te estamos dando una nueva posibilidad de cura.

Anemia

La anemia es una condición patológica de la sangre. Su principal característica es la baja de los eritrocitos o de la hemoglobina que ellos tienen. Para poder hacerle frente, debes preparar la siguiente infusión:

Pon a hervir 1/2 litro de agua; mientras esto sucede, machaca finamente 10 g de corteza de naranjo amargo.

Una vez que el agua hirvió 5 minutos, mezcla la corteza perfectamente y déjala reposar otros minutos.

Ya que haya reposado, cuela bien todo y colócalo en un envase de cristal limpio.

Toma un vaso en ayunas, otro antes de comer y uno cuando te vayas a dormir.

Anorexia

Las modas establecidas por la sociedad han provocado que muchas personas, sobre todo jóvenes, limiten drásticamente su forma de comer para estar delgados. Debemos tener en cuenta que cualquier extremo es malo. Las personas "gorditas" no necesariamente están sanas por ello. De la misma manera, las personas muy delgadas no manifiestan una salud perfecta siempre. Al estado de inapetencia o a la falta de apetito por parte de personas sumamente delgadas se le conoce como Anorexia. Para poder enfrentar este mal, debes hacer lo siguiente:

Deja reposar 30 g de corteza de naranjo dulce en 1/4 de alcohol de 75 grados durante 10 días completos.

Transcurrido este tiempo, filtra perfectamente todo y pon de 30 a 50 gotas de este líquido en una copa con un poco de agua.

Bebe esta mezcla antes de cada comida.

Arteriosclerosis

Esta enfermedad se presenta cuando las paredes arteriales engruesan, se endurecen o pierden elasticidad. No cuidar este padecimiento puede llevarnos a serios problemas circulatorios y a diversas alteraciones de los órganos relacionados al sistema cardiovascular.

Contra este padecimiento, debes hacer lo siguiente:

En un vaso grande, y en partes iguales, mezcla jugo de naranja, jugo de limón, agua mineral alcalina y agua hervida.

Endulza con miel pura al gusto.

Toma este preparado en ayunas para solucionar tu problema.

Cefalea

Muchas personas, debido a una lenta y deficiente digestión, sufren constantes dolores de cabeza. Esto es lo que se conoce como una cefalea por dispepsia. Para poder solucionar el problema, debes hacer lo siguiente:

Pon a hervir 1/2 litro de agua durante unos minutos.

Una vez hirviendo, agrega 15 g de flores de tilo y 10 g de flores de manzanilla.

Deja reposar otros minutos y cuela este líquido.

Para contrarrestar el malestar, toma de una a cuatro tazas durante el día, verás como rápidamente el dolor desaparece.

Clorosis

Esta es una enfermedad de la adolescencia caracterizada por el empobrecimiento de la sangre y la palidez amarillenta en el rostro. Para poder atacarla de manera efectiva hay dos caminos (ambos sumamente efectivos). El primero de ellos es el siguiente:

Pon a remojar 45 g de corteza de naranjo en alcohol de 80 grados durante diez días.

Una vez transcurrido este tiempo, filtra todo muy bien y dale al enfermo una cucharada chica antes de cada comida.

El segundo remedio se hace de la siguiente manera:

A un litro de jarabe natural, agrégale 60 g de tintura de naranjas amargas.

Ponlo en una botella de cristal limpia y dale de tres a cinco cucharadas al enfermo una hora antes de cada alimento.

Personas Convalecientes

Muchas personas, después de una enfermedad o alguna intervención quirúrgica, necesitan un periodo de descanso y reposo total. No obstante, la inactividad y la cama nos tienen inquietos a algunos de nosotros. Si la convalecencia es una tortura, y no está en contra de las indicaciones médicas de la persona, se puede hacer lo siguiente para sentirse mejor:

Primero, pon a hervir 1/2 litro de agua con 30 g de hojas de abedul durante unos minutos.

Una vez que esté listo, cuélalo y agrega el jugo de 2 naranjas dulces medianas.

Sirve el líquido en un vaso mediano y endúlzalo con un poco de miel.

Esta infusión puede tomarse libremente, incluso, acompañando las comidas del convaleciente.

Crecimiento Infantil

Y la naranja no sólo nos puede ayudar con respecto a enfermedades o padecimientos, sino que también puede ser muy útil en la formación y el crecimiento de los niños y los adolescentes. En esas etapas, donde el muchacho o la niña necesita estar más despierto para aprovechar los conocimientos adquiridos en la escuela, la naranja puede ser un buen aliado.

Para que en verdad nuestros hijos estén sanos y fuertes para hacer frente a cualquier enfermedad, debemos darles, todas las mañanas,

un vaso mediano de jugo de naranja. Con ello, no sólo estarás evitando que tus hijos caigan en las garras de enfermedades como la gripe, fiebres, etc., sino que les estarás ayudando en la correcta formación de sus huesos, dientes y órganos vitales.

Recuerda que los jugos de naranja que se venden en botellas o en envases de cartón, por más naturales que te los quieran vender, tienen elementos químicos ajenos a la naturaleza del hombre. Siempre será mucho mejor utilizar naranjas frescas.

Diabetes

La diabetes es un mal muy común entre la sociedad. Se trata de una anomalía en el proceso metabólico. Su origen es, básicamente, nutricional. Cuando una persona padece de diabetes, su organismo ha perdido la capacidad para procesar azúcares, almidones y carbohidratos por su baja producción de insulina (hormona producida en el páncreas).

Para poder combatir esta deficiencia metabólica, podemos hacer lo siguiente:

La cura a base de una dieta balanceada entre frutas cítricas, puede ser una solución natural de la diabetes. Si tu médico lo permite, puedes combinar varias de estas frutas (revisa la tabla de compatibilidad) y formar tu propia dieta con alimentos bajos en carbohidratos.

Dispepsia

La dispepsia es una anomalía que se presenta cuando algunas sustancias químicas que entran a nuestro organismo no son debidamente consumidas, reflejándose en lo que comúnmente se conoce como indigestión. Para hacerle frente a este mal, también podemos contar con la naranja de la siguiente manera:

Hierve 1/4 de litro de agua durante unos minutos.

Una vez que esté hirviendo, agrega 15 g de corteza de naranja rallada y déjala reposar otros minutos.

Para aliviar los malestares de la dispepsia, toma una taza de esta infusión 30 minutos antes de cada comida.

Dispepsia Hipoclorhídrica

La dispepsia Hipoclorhídrica, es una indigestión causada por bajas secreciones gástricas. Para poder combatirla mediante la naranja, debes hacer lo siguiente:

Primero que nada, debes exprimir 2 naranjas y vaciar su jugo en un vaso grande; después, exprime 2 limones y mezcla su jugo con el de las naranjas. Por último, toma agua mineral y agrega una parte igual a la obtenida con el jugo de las naranjas y los limones.

Debes tomar una taza en ayunas, otra después del almuerzo y una última después de cenar.

Es muy importante no tomar el jugo rápidamente; te recomiendo que lo hagas en pequeños sorbos. Asimismo, es importante que no endulces la bebida con azúcar o miel, pues estos elementos pueden anular las secreciones gástricas.

Distonías Neurovegetativas

Este padecimiento es provocado por la pérdida de tono en el sitema neurovegetativo, y se ve reflejado en el desequilibrio entre el sistema simpático y el sistema parasimpático. Para atacar efectivamente este problema con la naranja, debes hacer lo siguiente:

Primeramente, debes poner a hervir 1/4 de litro de agua durante algunos minutos; una vez hirviendo, agrega 15 g de corteza de naranjo y 15 g de hojas de naranjo; deja hervir otros minutos y tapa perfectamente el recipiente después de retirarlo del fuego.

Ya que esté tibio, cuélalo bien.

Toma un vaso chico en la mañana, otro en la tarde y uno más antes de acostarte.

Estreñimiento

¡Cuántas veces no hemos escuchado que alguien está "tapado" y que no puede hacer del baño! Esto se trata de simple estreñimiento, y como la naranja es un fruto desintoxicante, puede ser de enorme ayuda con este problema.

El estreñimiento es causado por la disminución en la funcionalidad de los músculos que intervienen en el proceso de evacuación. Para resolver este problema de forma sana, debes hacer lo siguiente:

Primero que nada, hay que poner a hervir 1/2 litro de agua durante algunos minutos.

Una vez hirviendo, se le agregan 30 g de corteza de naranjo y se deja hervir otros minutos más.

Ya que se impregne todo perfectamente, se retira del fuego la infusión, se cuela y se deja reposar en un envase cerrado.

Esta preparación debe tomarse todos los días en la mañana, tarde y noche hasta que desaparezca el estreñimiento.

Fiebre Biliar

Este tipo de fiebre es parecida a la que todos conocemos, sólo que ésta, es una consecuencia de un trastorno de la bilis, sustancia segregada por el hígado y que se almacena en la vesícula biliar. Para poder hacerle frente a este tipo de fiebre con la naranja, debes hacer lo que sigue:

Pon a hervir 1/4 de litro de agua durante unos minutos; hecho esto, añade 15 g de corteza de naranjo y 10 g de hojas de naranjo y deja hervir un par de minutos más.

Retíralo del fuego, cuélalo y viértelo en un envase de cristal bien limpio.

Para atacar la fiebre biliar, debes tomar una taza pequeña en la mañana al despertarte; otra al mediodía, y una más en la noche antes de acostarte.

Gingivorragia

Este tipo de sangrado en las gingivas, puede ser solucionado por medio de la naranja de una forma sencilla y muy fácil de realizar.

Para atacar de frente el sangrado, debes obtener el jugo de 2 ó 3 naranjas, vaciarlo en un vaso y hacer "buches" con él.

Procura, por todos los medios, de mantener el jugo de naranja dentro de tu boca el mayor tiempo posible.

Obviamente, el jugo, después de hacer el enjuague bucal, queda impregnado de agentes y microorganismos patógenos, por lo que de ninguna manera, se debe beber. Lo conveniente es, después del enjuague, escupir el jugo, de lo contrario, puedes tener problemas gastrointestinales más serios.

Hígado con Grasa

Cuando una persona siempre ha llevado una comida alta en grasas, seguramente empezará a tener problemas por ellas. Uno de los más comunes, es la acumulación de grasa en el hígado. Para poder resolver este problema, debemos de hacer lo que se indica a continuación:

Saca el jugo de 2 naranjas y combínalo con el jugo de un limón grande.

Una vez mezclado perfectamente, tómalo en ayunas todas las mañanas.

Es muy importante que, para que este jugo funcione y elimine las grasas contenidas en el hígado, no se vaya a endulzar con azúcar o miel.

Hiperclorhidria

Este padecimiento es parecido a una acidez muy alta. Se manifiesta debido al exceso de ácido clorhídrico en el estómago, y sus principales malestares son náusea, salivación extensa, acedía y dolor en la parte alta del abdomen. Para poder atacarlo de una manera natural, debemos hacer lo siguiente:

Primero que nada, debes poner a hervir 1/2 litro de agua durante unos minutos.

Mientras hierve, machaca perfectamente 20 g de corteza de naranjo y 5 g de hojas de naranjo y agrégalas al agua.

Deja reposar la infusión unos minutos y guárdala en un envase de cristal limpio.

Toma dos tazas pequeñas de esta infusión un par de horas antes de cualquier alimento.

Hiperemesis

Esta enfermedad es muy común en las mujeres que se encuentran embarazadas; sobre todo, durante los primeros meses de gestación. Para atacar de manera sana la sensación de vómito y de náusea, debes hacer lo siguiente:

Pon a hervir 1/2 litro de agua durante unos minutos; una vez que ya esté hirviendo, agrega 10 g de hojas de naranjo, 10 g de hojas de manzanilla, 10 g de hojas de tilo y 5 g de hojas de pasionaria, y deja hervir otros momentos más.

Déjala reposar unos 30 minutos lejos del fuego, cuélala perfectamente y toma una taza de esta infusión después de cada comida.

Trata de tomar esta infusión mediante pequeños sorbos y no de manera rápida. Si sientes que la infusión es un poco desagradable, puedes endulzarla con un poco de miel pura, no con azúcar.

Hipertensión

Este trastorno de la presión sanguínea se debe a un aumento de sangre en el sistema arterial. La mayoría de las veces es peligroso si no se trata adecuadamente, y puede desencadenar serios problemas en el sistema cardiovascular.

Para prevenirlo y remediarlo mediante la naranja, debes llevar a cabo lo siguiente:

Debido a la cantidad de potasio contenido en la naranja, se recomienda comer una naranja 60 minutos antes de cada alimento.

Esta dieta, hará que la presión arterial se regularice poco a poco.

Histeria

Muchas veces la histeria o neurosis ataca a los hombres y mujeres que tienen algún problema en el sistema nervioso. Para evitarlo eficazmente con la naranja, debes hacer lo siguiente:

Primero que nada, pon a hervir 1/2 litro de agua durante unos minutos.

Ya que se encuentre hirviendo, agrega 10 g de hojas de naranjo, 5 g de flores de naranjo y 5 g de flores de tilo.

Déjala reposar en un envase de cristal perfectamente tapado unos 30 minutos y después cuélala.

Esta infusión, puede tomarse a cualquier hora del día y en cantidades no mayores de un vaso. Pero para poder llevar un control más estricto y un sistema definido, procura tomar una taza en ayunas, otra al mediodía y una en la noche.

Puedes endulzar la infusión con miel pura.

Insomnio

Este padecimiento es uno de los más difíciles y traumáticos para cualquier persona. Todos sabemos que, para recuperar las energías perdidas durante el día, debemos dormir, por lo menos, 8 horas diarias. Pero cuando llegamos a nuestra cama, en lugar de descansar, nuestra mente empieza a divagar y no logra conciliar el sueño. Así, pueden pasar una, dos y mil noches. Esto, nos traerá serios problemas, tanto laborales como físicos, pues no podemos recuperarnos.

Para poder combatir el terrible insomnio, también podemos contar con nuestra amiga la naranja. Simplemente, debes seguir las siguientes indicaciones:

Pon a hervir 1/2 litro de agua durante unos minutos; una vez hirviendo, agrega 10 g de flores de naranjo, 5 g de flores de manzanilla y 5 g de flores de tilo y déjalas hervir dos minutos más.

Transcurrido el tiempo, retira la olla del fuego y deja reposar la infusión otros momentos. Cuélala y pon el líquido en un envase de cristal limpio.

Para contrarrestar el insomnio, toma una taza de esta infusión después de cada alimento. Verás que pronto lograrás dormir como bebé.

Involución

Esta enfermedad lleva al paciente a un estado de vejez prematura. Fisiológicamente se entiende como un fenómeno patológico de senilidad. La persona afectada, poco a poco, va teniendo una disminución gradual en los procesos vitales de sus órganos y tejidos.

Como este proceso de envejecimiento prematuro se asocia directamente con la acidez en

la sangre, se recomienda a los enfermos una ingestión elevada de jugo de naranja para contrarrestar los efectos.

Ahora bien, como no siempre encontramos naranjas dulces y jugosas, podemos echar mano de miel pura o piloncillo para darle un mejor sabor al jugo de la naranja, en caso de que esté demasiado agrio.

Neuralgia

Las neuralgias son fuertes dolores que atacan sin previo aviso, y se deben a la irritación de un nervio sensitivo. Para poder atacar efectivamente las neuralgias con las naranjas, debes hacer lo siguiente:

Pon a hervir 1/2 litro de agua en una olla junto con 30 g de corteza de naranjo y 15 g de hojas de naranjo durante un par de minutos.

Hecho esto, déjala reposar otros 20 minutos, cuélala y viértela en un envase de cristal limpio.

Para atacar las neuralgias, debes tomar una taza grande en ayunas, otra taza grande al mediodía y una más antes de ir a la cama.

Obesidad

La obesidad o gordura, es un mal muy común en nuestros días. La comida rápida y alta en grasas ha hecho que muchas personas descuiden la línea y, sobre todo, su salud. Pero para los que quieren dejar atrás la obesidad, la naranja les propone lo siguiente:

Exprimir 2 naranjas grandes y vaciar su jugo en un vaso chico.

Hecho esto, exprimir 2 limones y mezclar su jugo con el de las naranjas.

Debes tomar este jugo 15 minutos antes de cada comida. Con ello, estarás dando tu primer paso hacia la pérdida de peso.

Obviamente, debes también empezar a cuidar lo que comes.

Pecas

Miles de personas, alrededor del mundo, constantemente se ven afectadas por pequeñas manchas en la piel, mejor conocidas como pecas. Estas manchas, lejos de ser algo maligno, son pigmentaciones naturales, muy características de las personas que tienen una piel muy sensible o que son pelirrojas.

Y a pesar de que son consideradas como no peligrosas, pueden molestar a ciertas personas, por lo que te recomendamos lo siguiente para erradicarlas:

Pon el jugo de 100 g de naranjas dulces y 15 g de sal para cocinar en una vasija de cristal limpia y mézclalos perfectamente.

Una vez que hayas terminado, frota suavemente la parte afectada por las pecas durante algunos minutos todas las noches antes de acostarte.

Con este tratamiento y paciencia, poco a poco empezarán a desaparecer tus "manchitas".

Reumatismo

El reumatismo es una enfermedad en los huesos y músculos provocada por inflamaciones y modificaciones en el tejido conjuntivo. Por lo general, la gran mayoría de las afecciones tienen un origen infeccioso.

Para poder atacar el molesto reumatismo, que no nos deja trabajar o hacer nada, es necesario el siguiente tratamiento:

Simple y sencillamente, lo que debes hacer es tomar 2 naranjas dulces, partirlas en dos o cuatro partes y comértelas completas (pulpa y gajos) en ayunas.

Con este sencillo y simple procedimiento, estarás dando un gran avance en la cura de tu reumatismo.

Taquicardia

La taquicardia es una aceleración en los latidos del corazón. Muchas veces, suele sobrepasar las 100 palpitaciones por minuto. Para asegurarte que esto no te llegue a pasar, debes llevar a cabo la siguiente receta de naranja:

Pon a hervir 1/2 litro de agua durante unos minutos.

Ya que se encuentre hirviendo, agrega 20 g de flores de naranjo, 5 g de flores de espino blanco y 5 g de flores de tilo y déjala a fuego lento otro par de minutos.

Transcurrido este tiempo, retírala del fuego y déjala reposar 30 minutos.

Después, cuela perfectamente la infusión y toma una taza grande de ella a sorbos cuando la taquicardia se presente.

Taquicardia Paroxística

Este tipo de taquicardia, es cuando los latidos por minuto sobrepasan los 250 ó 270. Cuando esto suceda, no dudes un solo instante en acudir a un especialista, pues tu vida estará en serio riesgo.

Asimismo, cuando se presente este tipo de taquicardia, puedes echar mano de la siguiente receta:

Primero que nada, debes poner a hervir 1/2 litro de agua durante unos minutos; ya que esté hirviendo, agrega 25 g de flores de naranjo amargo, 20 g de flores de espino blanco, 10 g de flores de tilo y 5 g de flores de melisa y deja todo un par de minutos más en el fuego.

Transcurrido este tiempo, retira del fuego la infusión y déjala reposar 20 minutos.

Una vez hecho esto, cuela y vierte el contenido en una botella de cristal limpia.

Debes tomar una taza de esta infusión en ayunas, al mediodía y en la noche antes de acostarte para prevenir la taquicardia.

Ahora bien, si un ataque de taquicardia te sorprende, toma una taza grande en ese momento.

Te recomendamos tener esta infusión a la mano y tomarla mientras vas al médico. Ello te ayudará a controlarte un poco y a no sufrir consecuencias más graves.

Tos

Muchas veces, debido a la contaminación, a alguna infección en la garganta o resequedad de la misma, la tos nos ataca y no nos deja un solo instante. Para poder controlarla mediante algo natural, debemos seguir los siguientes pasos:

Poner a hervir 1/2 litro de agua, agregarle 10 g de hojas de naranjo dulce y 10 g de hojas de naranjo amargo y dejarla reposar durante

media hora. Hecho esto, colar la infusión y colocarla en un envase de cristal limpio.

Para contrarrestar la tos, se recomienda tomar una cucharada de esta infusión cada hora hasta que desaparezca.

Uricemia

Cuando el ácido úrico aumenta en nuestro cuerpo, provoca ciertos trastornos en la sangre, provocando la uricemia. Para combatirla por medio de la naranja, debemos hacer lo siguiente:

Como la naranja es un fruto rico en contenido bioquímico, es excelente para combatir esta anomalía.

Se recomienda comer 2 naranjas (completas) en ayunas por la mañana, otra una hora antes del almuerzo y otra más una hora antes de la cena. Con ello, estarás controlando el ácido úrico que tantos problemas te puede traer.

Palabras finales

Como te has podido dar cuenta a lo largo de este libro, la naranja no sólo es un delicioso fruto que la madre naturaleza nos ha obsequiado, sino que también puede ser la solución a muchas enfermedades comunes.

Estoy segura de que, de ahora en adelante, estarás más consciente y más seguro de que el consumir naranja, no sólo es algo bueno para ti y para toda tu familia, sino que es algo necesario y obligatorio para todo aquel que desee mantenerse en buena forma, saludable y feliz.

Los consejos y recetas contenidas en "El Poder Curativo de la Naranja" no es algo nuevo o misterioso, es, simplemente, algo tan natural y noble, que no debe quedarse en el conocimiento de unos cuantos. Por ello, me he atrevido a publicarlo, junto con mis demás libros, pues sé perfectamente que con esto, tú, y todos los que amas, lograrán tener una vida llena de alegría y salud.

Buena suerte y ¡buen provecho!

May Ana

Indice

TITULOS DE LA COLECCION
NATURALMENTE

Belleza y salud. *Imelda Garcés G.*

Cocina vegetariana de rápida preparación. *Mary Jerade*

Cocina vegetariana mexicana. *Mary Jerade*

Cocina y yoga. *Mary Jerade*

El poder energético y curativo de las frutas y verduras. *Silvia Torres C.*

Energía vital. *Silvia Torres C.*

Ensaladas de Angeles. *Ma. de los Angeles*

Ginseng. *May Ana*

La magia natural de los jugos. *Silvia Torres C.*

Recetario del vegetariano feliz. *Mary Jerade*

Tés curativos. *Silvia Torres C.*

Viva más comiendo mejor. *Mary Jerade*

COLECCION
NATURALMENTE - LOS MINIS

El poder curativo de la vitamina E. *May Ana*

El poder curativo del ajo. *May Ana*

El poder curativo de la cebolla. *May Ana*

El poder curativo del limón. *May Ana*

El poder curativo de la naranja. *May Ana*

El poder curativo de los jugos. *May Ana*

Impreso en los talleres de
OFFSET VISIONARY, S.A. DE C.V.
Hortensia 97-1 Los Angeles Iztapalapa
Tel.: 56-13-17-24 México, D.F. C.P. 09830